CONCEPTION, HISTOIRES ET DÉCOUPAGE
TRISTAN DEMERS
ENCRAGE ET COULEURS
YOHANN MORIN

© Tristan Demers et Presses Aventure inc., 2016.
© Moose, 2013. Tous droits réservés.

Les logos, noms et personnages de Shopkins™ sont
des marques déposées de Moose Enterprise (Int.) Pty Ltd.

Presses Aventure inc.
55, rue Jean-Talon Ouest
Montréal (Québec) H2R 2W8
CANADA

groupemodus.com

Président-directeur général : Marc G. Alain
Directrice éditoriale : Marie-Eve Labelle
Adjointe à l'édition : Vanessa Lessard
Correctrice : Catherine LeBlanc-Fredette
Photographe de l'auteur : Valérie Laliberté
Infographiste : Hélène Lamoureux

ISBN : 978-2-89751-119-7

Dépôt légal — Bibliothèque et Archives nationales du Québec, 2016
Dépôt légal — Bibliothèque et Archives Canada, 2016

Nous reconnaissons l'aide financière du gouvernement du Québec par l'entremise
du Programme de crédit d'impôt pour l'édition de livres et du Programme d'aide
aux entreprises du livre et de l'édition spécialisée — SODEC

Financé par le gouvernement du Canada | Canadä

Imprimé en Chine

Shopkins™
Des courses de folie !

BANDE DESSINÉE 3

TOUJOURS PLUS HAUT !

Tristan Demers

En collaboration avec Yohann Morin

PRESSES AVENTURE

Il y a du nouveau au
supermarché des SHOPKINS!
Fais la connaissance de
plusieurs amis et visite les rues de Shopville.
Retrouve Roulota pour une soirée disco, Laitchouette
dans une course de panier, Cooky dans des cascades périlleuses,
Glacette pour une journée à flâner dans les magasins et tous
les autres dans une tonne de moments comiques et amusants!
Les Shopkins sont prêts à t'accueillir dans leurs rayons.
Ouvre bien les yeux, car les Shopkins s'animent... maintenant!

VOICI LES Shopkins™
Des courses de folie !

COOKY

Cette petite timide cause souvent la consternation générale au supermarché. Cooky sort souvent malgré elle gagnante de bien des situations !

GLACETTE

Glacette est toujours prête pour une promenade à Shopville ! Elle adore passer du temps dans les jardins et faire le tour des boutiques branchées.

FROZIE

Une partie de cache-cache givrée est annoncée ? Quelqu'un a parlé de patinage ? Une bataille de boules de neige se prépare ? Frozie arrive en courant !

BAGUETTA

Véritable troubadour, Baguetta aime chanter la pomme à ses amies Shopkins ! Sa fête préférée ? La Saint-Valentin, de toute évidence !

GRILLETTE

Grillette n'a pas la langue dans sa poche, tout le monde le sait ! Chocolette et elle aiment relever des défis de toutes sortes !

PECHOUILLE

Avec son teint de pêche, Pechouille a bonne mine ! Elle adore danser et jouer lors des grandes fêtes.

FIN

FIN

9

11

On risque le tout pour le tout ?

Allons-y !

Accroche-toi, Laitchouette ! On va gagner !

BOUM

Aïe ! Quel choc !

Voici les céréales !

Hein ?

Quelles championnes ! Vous avez réussi votre pari !

Biiip !

Le truc, c'était de foncer dans l'allée.

Pour faire tout tomber dans le panier !

En une seule seconde !

Je vais bien !

FIN

À DEUX, C'EST MIEUX !

Bienvenue à la finale de votre émission préférée : *À deux, c'est mieux !*

Salut à tous !

Heureuse d'être là.

Allô...

Qui d'entre vous charmera notre concurrent et recevra la Rose d'honneur ?

Accueillez Baguetta et sa ritournelle romantique !

Comme une brioche au soleil ou un tendre croissant... Je t'AIIIMMMEEE !

CLAP! CLAP! CLAP!

CLAP! CLAP! CLAP!

CLAP! CLAP! CLAP!

Alors, les filles, séduites par notre Don Juan de blé entier ?

Glossy, tu me fais chavirer le cœur !

Hein ? Moi ? Je... euh...

Comme c'est mignon !

Pour la première fois, une concurrente semble hésiter à s'engager.

Je suis désolée, je refuse.

Baguetta se tourne alors vers Glacette, tout aussi sceptique...

Je... À vrai dire, tu me laisses froide.

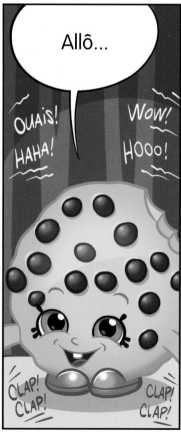

Allô...

OUAIS! HAHA!

WOW! HOOO!

CLAP! CLAP!

CLAP! CLAP!

Grimper sur un frigo n'est pas chose facile ! Allez, Chocolette, un peu de tonus !

Quelle idée de faire de l'escalade ! J'ai hâte d'arriver au sommet.

Je n'ai pas votre courage ni votre motivation !

Dire que nos amis surgelés vivent dans les hauteurs.

Ici, la neige est éternelle. Une petite bataille ?

SPLASH!

?!

Hé, là-haut ! Je n'ai pas ce qu'il faut pour répliquer !

17

Mais oui, Cooky ! Organisons une fête au sommet des frigos !

Une autre de tes idées amusantes !

Hi ! Hi !

Fraisy voudra sûrement participer !

Où est-elle ?

Les amies ! Hé ho ! Il faudra repousser la fête !

?

!!!

Du moins jusqu'à ce que Fraisy ait fondu !

VVRRRR !

FIN

PAPIER COLLANT

Aide-moi, Cooky, j'ai un gros problème !

Mielou ? Que se passe-t-il ?

J'ai voulu ramasser ces feuilles...

Ça m'apprendra.

Ganty et Scarpina, venez nous aider !

Aider ? Comment ?

Je peux donner un coup de main !

Et moi, tout un coup de pied ! Hi ! Hi !

FIN

J'adore ces journées à flâner dans les boutiques !

Flâner et se faire plaisir ! Hi ! Hi !

C'est le temps des soldes, tout est possible !

Hi ! Hi !

Pas besoin de sac, je suis configurée pour courir les magasins !

Et moi, je dois faire vite pour ne pas fondre !

21

Quelle astuce ! Je colle mes achats sur moi !

Bonne idée, Lolisucette !

Pourquoi s'encombrer de mille paquets ? Un sac me suffit.

Je préfère aussi la qualité à la quantité. Pechouille est comme nous, d'ailleurs.

C'est vrai, je me suis retenue cette fois-ci.

FIN

24

Chers auditeurs, une catastrophe a eu lieu dans l'allée 8 en début d'après-midi !

Un panier aurait été renversé, puis abandonné.

Oui, Pommette, nous recherchons activement le coupable !

Allons rejoindre Cooky dans le rayon des surgelés !

Brrrr...

FIN

27

Chocolette, tu veux jouer sur les caisses ?

Un peu de saut en hauteur ? Ouiii !

Je préfère regarder.

Tu viens, Cooky ?

Avec un spaghetti, tu vas encore plus haut, Chocolette !

BiP !

Cooky n'est pas aussi agile que nous !

28

Hop là ! L'atterrissage est difficile !

Yahooouuuu ! Ça manque de biscuits ici ! N'est-ce pas, Cooky !?

Bip! Bip!

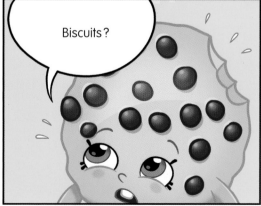

Biscuits ?

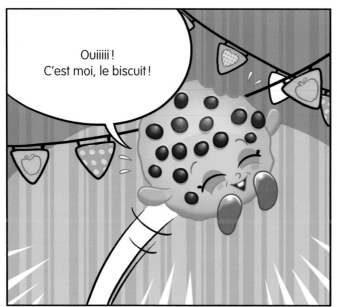

LA SAINT-VALENTIN

Nos cartes de Saint-Valentin sont magnifiques ! Tu as du talent, Agendou.

Pour un journal intime comme moi, cette fête veut dire beaucoup.

Dépêchez-vous ! Un spectacle se prépare au rayon de la boulangerie !

Oh non ! Un joli décor de Saint-Valentin...

Mais qui peut bien chanter ainsi ?

Je crains le pire...

Coucou, les copines !

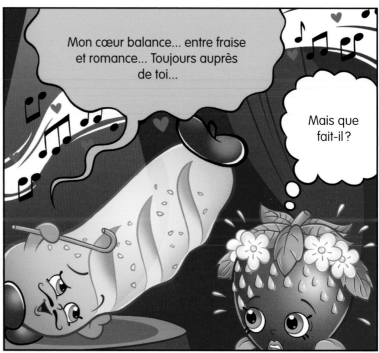

Mon cœur balance... entre fraise et romance... Toujours auprès de toi...

Mais que fait-il ?

Tadam ! Tadou ! Aux petits fruits, je dis oui !

Quel cauchemar ! Baguetta me déclare son amour, c'est ça ?

Allez ! J'ai un plan...

34

ATTENTION À
L'AVALANCHE !
ABRITE-TOI SOUS
UN COMPTOIR !

Aïe ! Pommette ?
Tu es saine
et sauve ?

J'ai failli être
transformée
en compote !

Tu vois
quelque chose ?

À l'aide !
Il y a
quelqu'un ?!

Puis, j'ai entendu un bruit. Les conserves ont été déplacées, et une main tendue est apparue dans la pénombre.

?

Agrippez-vous, vite !

Ce mystérieux sauveteur est reparti sans que je sache qui il était.

Un superhéros de supermarché ?

Un nouveau venu ?

Et tu ne sais vraiment pas qui est ce mystérieux Shopkins ?

J'ai ma petite idée là-dessus...

Je dois partir... Au revoir !

Il a laissé une pépite de chocolat derrière lui ! Cooky, merci de nous avoir sauvées !

!

C'est une blague ?

?!

FIN

Que fais-tu avec ces bâtonnets, Pimenty?

Je m'entraîne pour impressionner Crayonou avec mes talents en karaté.

Tout est dans la puissance du mental. Regarde.

Fais attention!

KIAI!

?

TCHAK!

FIN

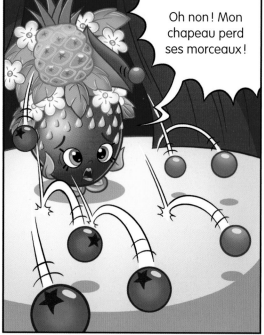

40

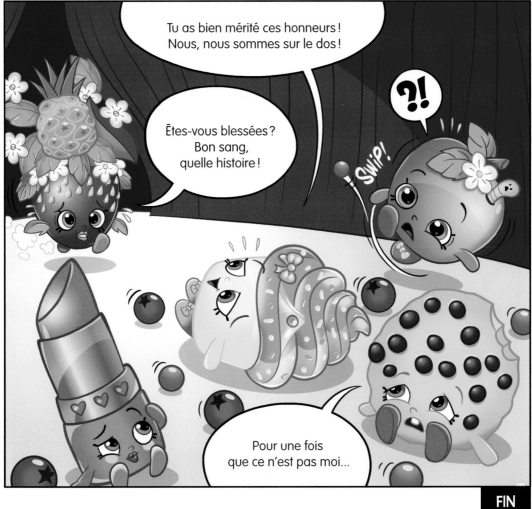

BLAGUES CRAQUANTES

Qu'est-ce que Glossy préfère par-dessus tout?
Que son nom soit sur toutes les lèvres.

Quel est le comble pour Glagla?
Fondre en larmes.

Que dit Maissy lorsqu'elle est décoiffée?
Qu'elle a un épi!

Pourquoi Agendou est-elle la meilleure
au jeu des énigmes?
Car elle a toujours la clé!

Quel est le comble pour Gauffry ?
Sauter le petit déjeuner.

Pourquoi Draginette est-elle si spéciale ?
Car elle en fait voir de toutes les couleurs !

Quelle est la plus grande peur de Roulota ?
Que les choses se déroulent mal.

Qu'est-ce que Moutarda déteste
par-dessus tout ?
Qu'on le presse !